recettes du marché

REMERCIEMENTS DE L'AUTEURE

Un merci, ce n'est pas assez pour montrer la reconnaissance que j'ai envers mon amoureux et mes enfants. L'élaboration d'un livre nécessite un temps fou. Mais c'est avec beaucoup d'amour et de patience que mes goûteurs préférés m'ont gardée follement passionnée.

Merci aussi à tous ceux qui m'ont écoutée, encouragée et aidée pendant la rédaction de ce livre : famille, amis, voisins.

Un autre merci que je pourrais écrire dans le ciel pour la maison d'édition Modus Vivendi et toute son équipe qui a cru en moi, mes capacités et mes valeurs à partager. C'est tout un honneur de pouvoir publier un autre ouvrage.

Je souligne le fabuleux travail du photographe André Noël et du cuisinier-styliste Simon Roberge.

Et merci à tous les producteurs, fermiers, agriculteurs et transformateurs du Québec qui ont su, grâce à leurs produits de très grande qualité, m'inspirer dans mes recettes. Un merci spécial à François, des Jardins du petit tremble à Saint-Antoine-sur-Richelieu, pour sa gentillesse et ses bons légumes. (www.jardinsdupetittremble.org)

© Anne Samson et Les Publications Modus Vivendi inc., 2013

LES PUBLICATIONS MODUS VIVENDI INC.
55, rue Jean-Talon Ouest, 2ᵉ étage
Montréal (Québec) H2R 2W8 CANADA
www.groupemodus.com

Éditeur : Marc Alain
Éditrice déléguée : Isabelle Jodoin
Designers graphiques : Catherine et Émilie Houle
Photographe : André Noël
Styliste culinaire : Simon Roberge
Réviseure : Germaine Adolphe
Relectrice : Catherine LeBlanc Fredette

Dépôt légal — Bibliothèque et Archives nationales du Québec, 2013
Dépôt légal — Bibliothèque et Archives Canada, 2013

ISBN 978-2-89523-760-0

Nous reconnaissons l'aide financière du gouvernement du Canada par l'entremise du Fonds du livre du Canada pour nos activités d'édition.

Gouvernement du Québec — Programme de crédit d'impôt pour l'édition de livres — Gestion SODEC

Imprimé en Chine

Recettes tirées du livre *Cuisine locale quatre saisons*.

recettes du marché

Anne Samson

Photographe : André Noël

MODUS VIVENDI

Table des matières

Introduction

Au Québec, les viandes, les fruits, les légumes, les fromages, les œufs et les à-côtés, comme le sirop d'érable et les huiles, sont d'excellente qualité et nous devons les faire valoir en les utilisant lorsqu'ils sont à leur meilleur. Soyons fiers de nos racines, de notre terroir et de ce qui peut y pousser malgré le climat nordique. La culture québécoise se compose notamment de ce que nous produisons et mangeons. Il faut découvrir ou redécouvrir ce qui vient de notre sol, de notre fabrication. Trop de saveurs ont été oubliées au fil des générations et trop de nouveaux produits du Québec ne sont pas appréciés à leur juste valeur. Rien ne nous empêche de rester ouverts sur le monde, par exemple, en cuisinant à l'italienne ou à l'asiatique tout en intégrant des ingrédients d'ici.

Voici mes meilleures recettes à base de produits locaux et du marché, que je cuisine et partage avec ma famille depuis des années. J'espère qu'elles vous feront découvrir les nombreuses saveurs du Québec et qu'elles vous donneront le goût d'intégrer davantage de produits québécois dans votre cuisine.

Les saisons

PRINTEMPS
mars-avril-mai
Le printemps est synonyme de soleil, de renouveau et de beau temps. En cuisine, cette période est aussi associée à la fin des provisions d'hiver, au goût de fraîcheur et aux nouveaux arrivants sur le marché, tels que les fines herbes.

ÉTÉ
juin-juillet-août
L'été commence quand on a accès aux laitues et aux fraises d'ici. À ce moment de l'année, on profite pleinement des saveurs du Québec. Presque tout est possible grâce à la disponibilité des produits frais. C'est la saison la plus favorable du marché, la saison idéale pour préparer des salades, des repas sur le barbecue ou des pique-niques.

AUTOMNE
septembre-octobre-novembre
L'automne, c'est la récolte. On savoure l'abondance; on fait des provisions pour l'hiver. Presque tout se congèle et la mise en conserve, pas si compliquée, en vaut vraiment la peine. Comme on dispose d'une diversité incroyable de produits, on aime retourner à nos chaudrons et fourneaux pour cuisiner des plats mijotés et envelopper la maisonnée de délicieuses odeurs.

HIVER
décembre-janvier-février
L'hiver, il y a moins de possibilités côté fruits et légumes, d'où l'importance de faire des provisions. Cela ne veut pas dire pour autant que nous sommes limités aux carottes, aux pommes de terre et aux oignons. Même si l'on n'a pas fait de conserves, plusieurs légumes d'ici se gardent longtemps (légumes racines, courges). En outre, des aliments produits toute l'année, tels que les fromages et les viandes, nous permettent de goûter le Québec au cœur de l'hiver.

Bagel et truite fumée

20 à 25 bouchées

Pour cette recette, je préfère le bagel aux graines de sésame. Le mélange sucré-salé me ravit.

Préparation

Couper le bagel en rondelles d'environ 1 cm (⅜ po) d'épaisseur.

Placer les rondelles sur une plaque à biscuits et griller au four à 350 °F (180 °C) environ 5 minutes de chaque côté.

Lorsque les rondelles sont bien dorées, tartiner de fromage à la crème et garnir d'un petit morceau de truite fumée et d'un soupçon de gelée de pommes.

Ingrédients

1 bagel
Fromage à la crème
2 ½ oz (75 g) de truite fumée
Gelée de pommes ou de pommettes de fabrication québécoise

Mini cannellonis aux crevettes et à l'aneth

36 bouchées

Voici une recette toute simple et très originale. Je la présente ici en hors-d'œuvre, mais vous pouvez quadrupler les quantités pour en faire une salade de pâtes qui met en valeur les herbes fraîches du printemps.

Préparation

Faire cuire les pâtes dans l'eau salée jusqu'à ce qu'elles soient al dente. Rincer les pâtes à l'eau froide et égoutter soigneusement.

Placer dans un saladier les pâtes cuites, les crevettes, les concombres et l'aneth. Mélanger.

Dans un petit bol, fouetter ensemble la mayonnaise, l'huile, la moutarde et le vinaigre.

Ajouter la mayonnaise assaisonnée aux pâtes et mélanger le tout. Saler et poivrer.

Pour les mini cannellonis, insérer une crevette dans la pâte, piquer un cure-dent, puis ajouter une tranche ou deux de concombre.

Ingrédients

1 tasse (36 pâtes) de cannellonis ou autres pâtes moyennes (10 minutes de cuisson)
½ tasse (120 g) de crevettes nordiques cuites
1 petit concombre de serre de type libanais tranché finement
4 c. à thé (20 ml) d'aneth frais haché
1 ½ c. à thé (7 ml) de mayonnaise
1 ½ c. à thé (7 ml) d'huile de tournesol
¼ c. à thé (1 ml) de moutarde préparée au Québec
¾ c. à thé (3 ml) de vinaigre de cidre

Galettes de jambon au cheddar

4 à 5 portions (environ 10 galettes)

Voici une recette qui se prépare plus rapidement avec des restes de viande et de pommes de terre en purée. Il est possible de les cuisiner à l'avance et de les conserver au réfrigérateur ou au congélateur dans un contenant hermétique.

Préparation

Mettre 4 œufs dans une casserole remplie d'eau.

Porter à ébullition, éteindre le feu, couvrir et laisser reposer dans l'eau bouillante 10 minutes.

Retirer les œufs et les laisser tiédir.

Pendant ce temps, faire cuire les pommes de terre dans l'eau bouillante salée. Lorsqu'elles sont tendres, les peler et les réduire en purée avec la crème sure et un peu de lait.

Écaler les œufs et les couper en petits morceaux.

Mélanger la purée, les œufs durs, le jambon, le cheddar, la moutarde en poudre, le paprika et le curcuma. Façonner les galettes en utilisant environ ½ tasse (125 ml) de préparation pour chacune.

Passer les galettes dans l'œuf battu puis dans la chapelure.

Couvrir le fond d'une grande poêle d'huile.

Chauffer l'huile.

Cuire les galettes environ 3 minutes de chaque côté dans l'huile bien chaude, jusqu'à ce qu'elles soient bien dorées.

Ajouter de l'huile au besoin.

Déposer les galettes cuites sur un papier absorbant.

Servir les galettes chaudes, avec une salade d'endives et de pommes assaisonnée de votre vinaigrette préférée.

Ingrédients

4 œufs

6 ou 7 petites pommes de terre non pelées et lavées

3 c. à soupe (45 ml) de crème sure

Lait

1 tasse (250 ml) de jambon en petits cubes ou haché

¾ tasse (180 ml) de fromage cheddar Perron râpé

½ c. à thé (2 ml) de moutarde en poudre

½ c. à thé (2 ml) de paprika

½ c. à thé (2 ml) de curcuma

1 œuf, légèrement battu

¾ tasse (180 ml) de chapelure

Huile de canola pour la cuisson

Salade de betteraves au fromage de chèvre

4 portions

D'une couleur et d'une saveur incomparables, la betterave est un légume encore disponible au printemps. Faites bouillir 5 à 10 betteraves quand vous avez le temps (parce qu'elles cuisent lentement) et gardez-les dans un contenant hermétique. Elles se conserveront facilement 5 jours. Vous pourrez ainsi les utiliser dans plusieurs recettes (râpées, en cubes ou rôties dans un peu d'huile).

Préparation

Dans un saladier, mélanger la laitue, les betteraves, les graines de citrouille et les canneberges.

Dans un petit bol, mélanger le vinaigre, les échalotes et le miel et ajouter l'huile en filet en fouettant.

Verser la vinaigrette sur la salade et remuer pour bien enrober.

Ajouter le fromage, saler et poivrer. Servir.

Ingrédients

4 tasses de laitue
(selon la disponibilité)

2 betteraves cuites dans l'eau bouillante, pelées, refroidies et râpées

½ tasse (125 ml) de graines de citrouille ou de tournesol rôties

¼ tasse (60 ml) de canneberges séchées

90 g (3 oz) de fromage de chèvre émietté ou en petits cubes selon le type de fromage

Sel et poivre du moulin

Vinaigrette

¼ tasse (60 ml) de vinaigre de vin rouge

3 c. à soupe (45 ml) d'échalotes hachées

1 c. à soupe (15 ml) de miel

⅓ tasse (80 ml) d'huile de tournesol

Soupe de lentilles et d'épinards

6 portions

Voici une soupe-repas italienne qui nous donne une bonne dose de vitamines et de minéraux. Elle se prépare facilement et il en restera pour les lunchs.

Préparation

Chauffer l'huile dans un grand chaudron et cuire les oignons quelques minutes.

Incorporer le concentré de tomates et les fines herbes.

Ajouter les lentilles, le bouillon et les tomates, remuer et porter à ébullition.

Réduire le feu, couvrir partiellement et laisser mijoter environ 40 minutes, jusqu'à ce que les lentilles soient tendres.

Ajouter les épinards, les herbes salées et du poivre. Laisser tomber quelques minutes avant de servir avec un pain à la fleur d'ail (voir recette ci-dessous).

Ingrédients

2 c. à soupe (30 ml) d'huile de canola

2 oignons, hachés finement

2 c. à soupe (30 ml) de concentré de tomates

2 c. à thé (10 ml) d'origan

2 c. à thé (10 ml) de romarin

2 tasses (500 ml) de lentilles vertes rincées et égouttées

5 tasses (1,25 l) de bouillon de légumes

1 boîte de 796 ml (28 oz) de tomates en dés

1 sac d'épinards (environ 4 tasses) grossièrement coupés

30 ml (2 c. à soupe) d'herbes salées

Poivre du moulin

Pain à la fleur d'ail

4 croûtons

Préparation

Faire griller les tranches de pain.

Mélanger le beurre, la fleur d'ail et le cheddar, et en tartiner les tranches de pain.

Déposer les tranches de pain sur une plaque de cuisson et passer sous le gril quelques minutes, le temps que les odeurs se libèrent et que le dessus soit bien doré.

Au printemps, il ne restera souvent plus d'ail provenant du Québec. Pour remplacer cet ingrédient indispensable, utilisez la fleur d'ail vendue en petit pot dans la plupart des épiceries. Elle est beaucoup plus digeste et a un goût légèrement moins prononcé. Vous pouvez en mettre partout où l'on demande de l'ail : vinaigrettes, sautés, etc.

Ingrédients

4 tranches de pain croûté

¼ tasse (60 ml) de beurre ramolli

1 c. à thé (5 ml) de fleur d'ail

2 c. à thé (10 ml) de fromage cheddar vieilli râpé finement

Côtelettes de porc à l'érable

4 portions

J'aime bien essayer de nouvelles recettes, mais quelquefois, j'aime le réconfort que m'offre une recette classique. En voici une facile à exécuter et qui plaît à tout le monde. Elle fera partie de mon répertoire encore longtemps.

Préparation

Faire revenir les côtelettes dans le beurre et l'huile environ 5 à 6 minutes.

Déposer les côtelettes dans un plat allant au four.

Badigeonner de moutarde.

Faire revenir l'oignon ou le poireau dans la poêle.

Ajouter la crème de tomate et la tomate en dés.

Verser le sirop et brasser. Verser sur les côtelettes et cuire au four à 350 °F (180 °C) 8 à 10 minutes.

Les poireaux offerts en épicerie au printemps ne poussent habituellement pas ici. À défaut d'un poireau surgelé, utilisez un oignon.

Ingrédients

4 à 6 côtelettes de porc

2 c. à soupe (30 ml) de beurre

2 c. à soupe (30 ml) d'huile de canola

2 c. à soupe (30 ml) de moutarde préparée au Québec

Le blanc d'un poireau surgelé ou un oignon tranché

¾ tasse (180 ml) de crème de tomate (soupe concentrée)

1 tomate de serre, coupée en dés

⅔ tasse (160 ml) de sirop d'érable

Spaghetti à la carbonara

4 portions

Il est vrai que le bacon est salé, alors on privilégie les produits réduits en sodium. On diminue ainsi l'apport quotidien en sel et on ajoute un goût exquis au plat. Six tranches de bacon réduit en sel, ce n'est rien d'exagéré ! Voilà un repas facile, rapide et délicieux.

Préparation

Cuire le bacon dans une poêle jusqu'à ce qu'il soit croustillant.

Éponger sur un papier absorbant.

Cuire les pâtes dans l'eau bouillante salée, selon les indications du fabricant.

Pendant ce temps, mélanger les œufs, le fromage et la crème.

Égoutter les pâtes cuites en conservant ½ tasse (125 ml) d'eau de cuisson.

Remettre les pâtes dans le chaudron.

Ajouter le mélange d'œufs et bien remuer. La chaleur des pâtes cuira les œufs.

Ajouter de l'eau de cuisson au besoin pour faire une belle sauce.

Ajouter le bacon et poivrer généreusement.

Servir immédiatement avec des asperges, si elles sont disponibles.

Dès le début de mai, on peut se procurer des asperges de l'Ontario et parfois du Québec. Elles sont en abondance fin mai-début juin.

Ingrédients

6 tranches de bacon réduit en sel, coupées en morceaux de 1 po (2,5 cm)

1 lb (450 g) de spaghetti

3 œufs moyens

1 tasse (250 ml) de fromage cheddar québécois fort ou vieilli râpé

⅓ tasse (80 ml) de crème 15 % ou 35 %

Poivre du moulin

Nid de pommes de terre et œufs miroir

4 portions

Cette recette utilise des ingrédients de base; vous y retrouverez le bon goût des vraies saveurs. Prévoyez environ 1 heure de cuisson et dégustez ce plat aussi bien le soir qu'au brunch.

Préparation

Mélanger les 3 premiers ingrédients à la fourchette.

Déposer dans une assiette à tarte de 9 po (22 cm), légèrement huilée.

Bien égaliser avec le dos d'une fourchette.

Cuire au four à 350 °F (180 °C) pendant 50 minutes.

Sortir du four.

Avec le dos d'une cuillère, créer quatre cavités de manière à former quatre petits nids.

Déposer une tranche de jambon dans chacune des cavités (la plier si elle est trop grande) et casser un œuf sur chacune des tranches de jambon.

Remettre au four environ 7 à 10 minutes, le temps que les œufs cuisent.

Couper en pointes et servir avec une salade ou des crudités.

Ingrédients

5 pommes de terre, râpées

1 tasse (250 ml) de fromage Oka râpé

1 tasse (250 ml) de crème à 35 % ou 15 %

4 tranches de jambon

4 œufs

Poitrines de poulet, tomates séchées et fromage de chèvre

4 portions

Voici une recette bien gardée, fort simple, que j'exécute pour épater mes convives. Un plat crémeux qui met en vedette le fromage de chèvre.

Préparation

Chauffer l'huile dans une poêle à feu moyen.

Ajouter la fleur d'ail et cuire environ 30 secondes, le temps de libérer l'odeur.

Ajouter les tomates séchées, les épinards, le sel, le poivre et le thym.

Cuire jusqu'à ce que les épinards soient tombés, environ 5 minutes.

Ajouter les deux fromages, bien mélanger et retirer du feu.

Couper les poitrines en deux sur l'épaisseur sans se rendre jusqu'au bout.

Farcir chaque poitrine du quart de la préparation au fromage et refermer.

Assaisonner de sel et poivre.

Chauffer 1 c. à soupe (15 ml) d'huile dans une poêle à fond épais et faire cuire les poitrines, environ 6 minutes de chaque côté, jusqu'à ce que le poulet soit bien cuit.

Retirer de la poêle et réserver au chaud.

Mélanger le bouillon, le cidre ou le vin et la moutarde.

Verser le mélange dans la poêle et, à l'aide d'une cuillère de bois, gratter pour décoller tous les sucs de viande.

Laisser réduire la sauce environ 5 minutes.

Servir avec le poulet.

Ingrédients

1 c. à soupe (15 ml) d'huile de canola

1 c. à soupe (15 ml) de fleur d'ail

6 tomates séchées dans l'huile ou non, hachées

1 sac d'épinards (environ 4 tasses), grossièrement hachés

Sel et poivre

½ c. à thé (2 ml) de thym séché

¼ tasse (60 ml) de fromage de chèvre Capriny aux fines herbes ou d'un autre fromage de chèvre à pâte molle et crémeuse

¼ tasse (60 ml) de fromage à la crème

4 poitrines de poulet

1 ½ tasse (375 ml) de bouillon de poulet

1 c. à soupe (15 ml) de cidre ou de vin blanc

2 c. à thé (10 ml) de moutarde préparée du Québec

Vol-au-vent au homard

4 à 6 portions

Le homard s'apprête de plusieurs façons. Mettez-le au menu dès le mois de mai et profitez-en jusqu'en juillet. Ajoutez aussi au menu le crabe des neiges, le crabe commun, les couteaux, les bigorneaux ou d'autres mollusques disponibles dès le printemps !

Préparation

Dans une poêle, faire revenir les légumes dans le beurre quelques minutes.

Ajouter la farine et mélanger.

Incorporer le vin et le liquide, et remuer jusqu'à épaississement de la sauce.

Ajouter la chair de homard, les fines herbes et les herbes salées. Poivrer.

Servir sur des vol-au-vent réchauffés au four quelques minutes à 350 °F (180 °C).

Ingrédients

3 c. à soupe (45 ml) de beurre

2 échalotes, hachées finement

1 barquette (8 oz [227 g]) de champignons blancs, tranchés

3 c. à soupe (45 ml) de farine

½ tasse (125 ml) de vin blanc

1 ½ tasse (375 ml) de bouillon de fruits de mer ou de lait

1 lb (450 g) de chair de homard cuit, coupée en dés

1 c. à soupe (15 ml) d'une herbe fraîche du Québec (aneth, estragon ou autre)

1 c. à soupe d'herbes salées du Bas-du-Fleuve

Poivre du moulin

6 vol-au-vent

Gâteau à la betterave

8 à 10 portions

Le gâteau à la betterave n'a rien à envier au fameux gâteau aux carottes. Il se fait exactement de la même manière et il est tout aussi bon. Voilà un autre légume à faire manger aux enfants, incognito.

Préparation

Dans un bol, mélanger les sept premiers ingrédients.

Dans un autre bol, fouetter la compote, l'huile et le sucre.

Ajouter les œufs et battre jusqu'à ce que le mélange soit crémeux.

Ajouter les betteraves et les ingrédients secs, en mélangeant à la cuillère de bois.

Verser dans un moule à pain beurré et fariné ou tapissé de papier parchemin.

Cuire au four environ 50 minutes à 350 °F (180 °C) ou jusqu'à ce qu'un cure-dent inséré au centre en ressorte propre.

Laisser reposer 10 minutes. Démouler et laisser refroidir complètement.

Glaçage

Fouetter ensemble tous les ingrédients de 3 à 4 minutes, jusqu'à l'obtention d'un glaçage léger.

Étendre sur le gâteau refroidi.

Ingrédients

1 ½ tasse (375 ml) de farine

½ c. à thé (2 ml) de bicarbonate de sodium

1 c. à thé (5 ml) de levure chimique (poudre à pâte)

1 c. à thé (5 ml) de cannelle

½ c. à thé (2 ml) de muscade

½ tasse (125 ml) de canneberges séchées

½ tasse (125 ml) de pacanes

½ tasse (125 ml) de compote de pommes

½ tasse (125 ml) d'huile de canola

¾ tasse (375 ml) de sucre d'érable ou de cassonade

2 œufs

1 tasse (250 ml) de betterave crue, pelée et râpée (environ 1 betterave)

Glaçage

7 oz (200 g) fromage à la crème à la température de la pièce

½ tasse (125 ml) de sucre glace

¼ c. à thé (1 ml) de vanille

Flan à l'érable

10 portions

J'ai toujours cru que le flan était un dessert long et compliqué à faire puisque ma mère le préparait uniquement en des occasions spéciales. Mais j'ai bien vite compris son astuce. Un excellent dessert de « grandes occasions » qui demande peu d'effort mais qui goûte le ciel. À vous de garder le secret et d'épater la galerie.

Préparation

Faire bouillir le sirop 2 minutes dans une casserole.

Verser dans un moule à pain en nappant bien le fond et les côtés.

Placer tous les autres ingrédients dans le mélangeur et battre quelques minutes.

Verser dans le moule et placer celui-ci dans un plat plus grand, rempli d'eau tiède.

Cuire au four à 350 °F (180 °C) pendant 1 heure.

Sortir du four, retirer du plat d'eau et laisser tiédir sur une grille.

Réfrigérer le flan jusqu'à ce qu'il ait complètement refroidi.

Pour le démouler, passer un couteau tout autour du moule. Déposer l'assiette de service sur le plat et retourner doucement le flan. Faire de belles tranches et napper de sirop.

Ingrédients

½ tasse (125 ml) de sirop d'érable

2 boîtes de lait concentré
12 oz (375 ml) chacune

¾ tasse (180 ml) de sucre d'érable

8 œufs

1 ½ c. à thé (7 ml) de vanille

Maquereau fumé et mayonnaise à l'ail

15 bouchées

Oh ! Mais quelle découverte ! Vous trouverez ce produit dans toute bonne poissonnerie et même en épicerie. Sinon, demandez-le. C'est un produit parfait pour faire de petites bouchées fort simples et absolument délicieuses. Je vous propose une mayonnaise maison pour l'accompagner, mais vous pouvez aussi le servir avec une sauce ou un fromage doux.

Ingrédients

1 œuf à température de la pièce

1 c. à soupe (15 ml) de moutarde à l'ancienne préparée au Québec

2 c. à thé (10 ml) de vinaigre de cidre

1 tasse (250 ml) d'huile de canola environ

1 c. à thé (5 ml) de fleur d'ail

Sel

15 craquelins environ

3 filets de maquereau fumé

Préparation

Idéalement avec un pied-mélangeur sinon au fouet, mélanger l'œuf, la moutarde et le vinaigre.

Verser l'huile en filet, tout en actionnant le pied-mélangeur, jusqu'à l'obtention d'environ 1 tasse (250 ml) de mayonnaise.

Continuer d'actionner le pied mélangeur jusqu'à consistance d'une mayonnaise.

Ajouter la fleur d'ail et brasser doucement à la cuillère.

Goûter et ajouter de la fleur d'ail et du sel au goût.

Garnir chaque craquelin d'un morceau de maquereau agrémenté d'une touche de mayonnaise.

Servir aussitôt.

Frittata de courgettes à la feta

6 portions

L'été, il faut profiter des herbes fraîches et en mettre partout, car elles apportent fraîcheur et bon goût. La recette suivante est devenue un classique qui sert de base à toutes mes frittatas. Je change le fromage et les légumes selon la saison ou la disponibilité.

Préparation

Mettre les courgettes dans une poêle sur un feu moyen et laisser suer jusqu'à ce qu'il n'y ait plus de liquide.

Pendant ce temps, laisser tremper la feta dans l'eau chaude environ 10 minutes.

Égoutter et émietter le fromage dans un grand bol.

Ajouter les courgettes et tous les autres ingrédients et mélanger.

Verser dans une assiette à tarte beurrée et cuire au four à 375 °F (190 °C) 45 minutes.

Servir chaud avec une baguette de pain.

Ingrédients

4 courgettes, râpées

1 tasse (250 g) de feta

4 œufs, battus

2 c. à soupe (30 ml) de noisettes ou pacanes grillées et hachées

2 c. à soupe (30 ml) de thym finement haché

2 c. à soupe (30 ml) de persil finement haché

¼ tasse (60 ml) de cheddar vieilli râpé

Sel et poivre du moulin

Quiche à la bette à carde

4 portions

On trouve facilement la bette à carde tout l'été au marché ou à l'épicerie. Absolument délicieuse, polyvalente et peu coûteuse, elle est une excellente source de vitamines A et K, de magnésium et de fer. Il faut apprendre à la cuisiner. Voici donc une recette de quiche savoureuse, qui se mange chaude ou froide.

Préparation

Dans une poêle, faire revenir le poireau dans l'huile quelques minutes.

Ajouter les champignons et cuire environ 5 minutes.

Ajouter la bette à carde, saler et poivrer et poursuivre la cuisson 3 à 4 minutes.

Retirer du feu.

Dans un bol, fouetter les œufs et le lait de soja.

Saler et poivrer.

Foncer une grande assiette à tarte.

Répartir les légumes et le fromage sur la pâte.

Verser le mélange d'œufs puis cuire au four à 400 °F (200 °C) environ 30 minutes.

Sortir du four et laisser reposer 5 minutes avant de couper.

Ingrédients

1 petit poireau, haché

2 c. à soupe (30 ml) d'huile de canola

2 tasses (500 ml) de champignons tranchés

2 tasses (500 ml) de feuilles de bette à carde hachées

Sel et poivre

3 œufs

1 tasse (250 ml) de lait de soja

1 abaisse de pâte

1 tasse (250 ml) de fromage suisse râpé de la Fromagerie Lemaire

Côtelettes de porc au paprika

4 à 6 portions

Les côtelettes de porc sont populaires l'été sur le barbecue. Voici une recette originale qui donne de la couleur à vos côtelettes.

Préparation

Mélanger tous les ingrédients, sauf les côtelettes, pour former une pâte.

Étendre la pâte sur les côtelettes et les envelopper dans une pellicule plastique.

Réfrigérer de 1 à 3 heures.

Retirer la pellicule et cuire les côtelettes sur le barbecue préchauffé environ 5 minutes de chaque côté.

Laisser reposer 5 minutes avant de servir.

Servir avec l'une des trois salades des pages 38 et 39.

Ingrédients

3 gousses d'ail, émincées

3 c. à soupe (45 ml) d'huile de canola

2 c. à soupe (30 ml) de sucre d'érable

1 c. à soupe (15 ml) de sel

2 c. à thé (10 ml) de paprika

Poivre du moulin

¼ c. à thé (1 ml) de poivre de Cayenne

6 côtelettes de porc d'environ ¾ lb (360 g) chacune

Pommes de terre à la Estelle

4 portions

Qui est Estelle ? C'est la voisine, la tante, la bonne amie; quelqu'un qui marque l'enfance par ses repas et ses plats cuisinés qui goûtent et sentent si bon qu'on s'en souvient toute sa vie. Tout le monde a sa Estelle. À vrai dire, ce n'est pas ma Estelle, c'est celle de mon conjoint. Chez nous, on remplace les frites par les succulentes pommes de terre à la Estelle. Plus les pommes de terre sont petites, plus elles cuisent vite.

Ingrédients

4 pommes de terre avec la pelure, lavées

Huile

Sel et poivre

Préparation

Couper les pommes de terre en deux sur le sens de la longueur, de manière à obtenir deux moitiés les plus minces possible.

Badigeonner le côté coupé avec l'huile puis saler et poivrer.

Déposer les pommes de terre sur une plaque à biscuits, côté coupé sur le dessus, et cuire sous le gril (broil) de 10 à 15 minutes. Vérifier la cuisson en les piquant avec une fourchette.

L'été est synonyme de salades. En voici trois rapides qui mettent en valeur la fraîcheur de l'été et qui accompagneront très bien grillades, poissons ou sandwichs.

Salade de concombres et oignons rouges

4 portions

Préparation

Mélanger tous les ingrédients de la vinaigrette.

Mettre les légumes et l'aneth dans un saladier.

Arroser de vinaigrette et remuer.

Ingrédients

1 gros concombre, lavé et coupé en rondelles

½ oignon rouge, tranché finement

1 poignée d'aneth (ou d'une autre herbe fraîche) haché

Vinaigrette

2 c. à soupe (30 ml) de jus de citron

1 c. à soupe (15 ml) d'huile de tournesol

½ c. à thé (2 ml) de miel

Sel et poivre du moulin

Salade verte et racine

4 portions

Préparation

Mélanger tous les ingrédients de la vinaigrette.

Mettre les légumes et les graines de tournesol dans un saladier.

Arroser de vinaigrette et remuer.

Ingrédients

1 laitue (frisée, romaine ou Boston, au goût), déchiquetée

1 légume racine râpé (1 carotte, 1 betterave, 2 ou 3 topinambours ou 1 daïkon, etc.)

½ tasse (125 ml) de graines de tournesol

Vinaigrette

½ tasse (125 ml) de yogourt

2 c. à thé (10 ml) de vinaigre de vin

2 c. à soupe (30 ml) d'huile de tournesol

Sel et poivre du moulin

Salade de radis et de pommes

4 portions

Ingrédients

15 radis, finement tranchés

1 pomme, coupée en lamelles

Vinaigrette

½ tasse (125 ml) de crème sure

1 c. à thé (5 ml) de raifort

1 c. à soupe (15 ml) d'aneth frais

Sel et poivre du moulin

Préparation

Mélanger tous les ingrédients de la vinaigrette.

Mettre les tranches de radis et les lamelles de pomme dans un saladier.

Enrober de vinaigrette.

Décorer de brins d'aneth.

Salade fruitée

4 portions

J'adore les fruits dans une salade. Ils apportent un côté sucré et viennent contrebalancer l'acidité de la vinaigrette. Voici une recette qui apporte fraîcheur et légèreté. En début d'été, vous mettez des fraises, au milieu, des framboises et à la fin de l'été, des bleuets !

Préparation

Fouetter tous les ingrédients de la vinaigrette.

Au moment de servir, combiner la vinaigrette et les laitues lavées, puis disposer les fraises et les tranches d'oignons et servir.

Ingrédients

4 tasses (250 g) de laitues variées

1 tasse (250 ml) de fraises, framboises ou bleuets

Quelques tranches d'oignon rouge

Mayonnaise maison

¼ tasse (60 ml) d'huile de canola

2 c. à soupe (30 ml) de vinaigre de framboise

1 c. à thé (5 ml) de sucre d'érable

Une grosse poignée de framboises fraîches écrasées

Sel et poivre du moulin

Burger de bison et portobello

4 burgers

Pour son goût, parce qu'il est riche en protéines ou parce qu'il est faible en gras; toutes les raisons sont bonnes pour manger du bison. Quelques fermes en élèvent maintenant et il est relativement facile à trouver dans les épiceries, surtout du côté du surgelé. Toute une découverte pour ma famille et moi.

Ingrédients

2 échalotes, émincées
ou un petit oignon

2 champignons portobellos,
finement tranchés

Huile de canola

Sel et poivre

1,3 lb (600 g) de bison haché

4 pains burger

Préparation

Déposer les échalotes et les portobellos sur une feuille de papier d'aluminium et arroser d'un filet d'huile.

Saler et poivrer.

Refermer le papier et cuire au barbecue environ 10 minutes.

Façonner 4 boulettes de viande hachée.

Saisir à haute température 2 minutes de chaque côté, réduire la température et cuire de 3 à 5 minutes de chaque côté, jusqu'à cuisson à point (160 ºF [70 ºC]).

Servir sur les pains préalablement chauffés sous le gril.

Garnir de champignons. Servir avec les condiments désirés et une salade.

Attention, le bison est une viande maigre et très riche en protéines, il cuit donc plus rapidement que le bœuf.

Burger d'agneau au bacon

6 burgers

L'agneau du Québec a désormais sa place dans l'assiette des Québécois. Son coût est certes plus élevé que celui du veau ou du poulet, mais sa valeur nutritive et son goût inoubliable le justifient bien. Cette recette de hamburger originale plaira sûrement aux bons mangeurs de viande. Le bacon apporte une saveur totalement québécoise; nul besoin d'ajouter du ketchup, de la relish ou de la moutarde !

Préparation

Étendre les tranches de bacon sur une plaque de cuisson et les faire cuire au four à 350 °F (180 °C) jusqu'à ce qu'elles soient croustillantes.

Déposer les tranches de bacon sur du papier absorbant.

Pendant ce temps, mélanger l'agneau, la chapelure, le lait, l'œuf, le cheddar, les tomates séchées, le persil, le sel et le poivre.

Former 6 boulettes de 1 po (2,5 cm) d'épaisseur. Les griller dans une poêle antiadhésive ou sur le barbecue à feu modéré environ 8 minutes de chaque côté.

Pendant les dernières minutes de cuisson, réchauffer les pains.

Lorsque les boulettes sont cuites, en déposer une sur chacun des pains et garnir de bacon, de basilic et de tomate.

Verser un mince filet de vinaigre de cidre de glace sur la tomate et fermer le burger.

Ingrédients

8 tranches de bacon

1 ½ lb (750 g) d'agneau haché

½ tasse (125 ml) de chapelure

2 c. à soupe (30 ml) de lait

1 œuf

½ tasse (125 ml) de cheddar fort râpé

¼ tasse (60 ml) de tomates séchées hachées finement

¼ tasse (60 ml) de persil haché finement

½ c. à thé (2 ml) de sel

½ c. à thé (2 ml) de poivre

6 pains minces multigrains pour burger

1 bouquet de basilic frais

1 grosse tomate rouge, tranchée

Vinaigre de cidre de glace Fabrice Lafon

Pâtes et légumes grillés

4 à 6 portions

Voici un bon plat dépanneur, c'est-à-dire un plat aux infinies variantes. Changez de fromages et de légumes et il goûtera différent !

Préparation

Cuire les pennes selon les indications du fabricant.

Égoutter et réserver.

Étaler les légumes sur une plaque à biscuits.

Arroser d'un filet d'huile, saler et poivrer.

Cuire les légumes au four à 450 °F (230 °C) 15 minutes ou jusqu'à ce qu'ils soient tendres.

Mélanger les légumes grillés, la purée de tomates, les pennes, les fromages, le persil et le poivre.

Réchauffer à feu doux, jusqu'à ce que les fromages fondent.

Verser dans un plat de service.

Décorer de brins de persil.

Ingrédients

1 lb (500 g) de pennes

1 courgette, tranchée

2 poivrons rouges, coupés en lamelles

1 oignon, coupé en rondelles

3 c. à soupe (45 ml) d'huile de canola

Sel et poivre du moulin

1 barquette 8 oz (227g) de champignons tranchés

1 pied de brocoli défait en bouquets

3 c. à soupe (45 ml) d'huile de canola

2 tasses (500 ml) de purée de tomates ou de sauce tomate

½ tasse (125 ml) de fromage suisse Saint-Fidèle, râpé

½ tasse (125 ml) de fromage à la crème

¼ tasse (60 ml) de persil haché finement

Carré aux fraises ou aux framboises

8 portions

Ce dessert tout simple fera le bonheur de tous. Il vient de ma grand-mère paternelle et se retrouvera sans doute dans le livre de cuisine de ma fille.

Préparation

Mélanger le beurre, le sucre et la farine au robot culinaire jusqu'à consistance granuleuse.

Verser le mélange dans un moule carré de 20 cm (8 po) de côté et bien écraser dans le fond avec les doigts ou une fourchette. Faire cuire au four à 350 °F (180 °C) environ 20 minutes.

Laisser refroidir.

Chauffer les fruits entiers dans une casserole jusqu'à ébullition.

Ajouter la poudre pour gelée et brasser. Laisser tiédir quelques minutes.

Étendre uniformément sur le biscuit refroidi et réfrigérer.

Servir froid tel quel ou avec un peu de crème fouettée.

Ingrédients

½ tasse (125 ml) de beurre mou

2 c. à soupe (30 ml) de sucre d'érable

1 tasse (250 ml) de farine non blanchie

4 tasses (1 litre) de fraises ou de framboises fraîches ou surgelées

1 paquet de poudre pour gelée (85 g) aux fraises ou aux framboises selon le fruit utilisé

Cupcakes aux fraises prisonnières

6 petits gâteaux

Voici une recette de petits gâteaux vite faits qu'on dévore des yeux avant de déguster.

Préparation

Mettre tous les ingrédients, sauf le lait, dans le robot culinaire.

Mélanger jusqu'à l'obtention d'une belle consistance lisse.

Le moteur en marche, verser 15 ml (1 c. à soupe) de lait. Ajouter un autre 15 ml (1 c. à soupe) si le mélange est trop épais.

Verser le mélange dans 6 moules à muffin tapissés de moules en papier, en les remplissant à ras bord pour obtenir de gros cupcakes.

Cuire au four à 375 °F (190 °C) de 15 à 18 minutes, ou jusqu'à ce qu'un cure-dent inséré au centre en ressorte propre.

Laisser refroidir complètement sur une grille.

Fouetter la crème et le sucre en pics fermes. Réserver.

Pour le montage, découper un cône (forme d'une fraise) dans chaque cupcake, en laissant 1 cm (3/8 po) au fond.

Insérer une fraise dans chaque petit gâteau sans la laisser dépasser.

Couvrir généreusement de crème fouettée, puis décorer de feuilles de menthe.

Ingrédients

½ tasse (125 ml) de beurre mou

⅓ tasse (80 ml) de miel

2 œufs

¾ tasse (180 ml) de farine

½ c. à thé (2 ml) de bicarbonate de sodium

1 c. à thé (5 ml) de levure chimique (poudre à pâte)

1 c. à thé (5 ml) de vanille

1 ou 2 c. à soupe (15 ou 30 ml) de lait

Garniture

½ tasse (125 ml) de crème 35 %

1 c. à thé (5 ml) de sucre glace

6 belles fraises fraîches, lavées et équeutées

Quelques petites feuilles de menthe fraîche

Mini quiches sans croûte

12 bouchées ou 24 mini bouchées

Voici un hors-d'œuvre parfait pour faire patienter les petites bouches qui ne peuvent plus attendre. En cinq minutes, c'est dans le four; et en huit minutes, c'est cuit. Laissez votre imagination vous guider; toutes les combinaisons d'ingrédients sont bonnes !

Préparation

Vaporiser d'huile un moule à 12 muffins ou à 24 mini muffins.

Mettre les légumes dans le bol du robot culinaire et hacher finement.

Répartir les légumes dans les cavités du moule. Dans le même bol du robot, fouetter les œufs, la crème, le sel et le poivre.

Couvrir les légumes de mélange d'œufs — donc juste le fond des cavités du moule.

Saupoudrer de fromage, de basilic et de paprika.

Placer le moule dans le four, sur la grille du centre, et cuire 8 minutes à 400 ºF (200 ºC).

Laisser reposer quelques minutes sur une grille avant de disposer sur une assiette de service.

Servir chaque mini quiche telle quelle ou sur une petite biscotte.

Ingrédients

½ carotte, pelée
½ branche de céleri
2 champignons
¼ de poivron de couleur ou toute autre combinaison de légumes (courgettes, maïs, épinards, etc.)
4 œufs
2 c. à soupe (30 ml) de crème 35 %
Sel et poivre
¾ tasse (180 ml) de fromage fort tel le suisse ou le oka râpé
½ c. à thé (2 ml) de basilic séché
½ c. à thé (2 ml) de paprika

Omble chevalier farci à l'aubergine

4 portions

Voici une recette toute simple que vous pouvez adapter selon les légumes que vous avez sous la main. Remplacez l'aubergine par des courgettes, par exemple. L'important, c'est que les légumes aient la même taille pour une cuisson uniforme.

Préparation

Préchauffer le four à 200 °C (400 °F).

Mélanger tous les légumes avec l'huile.

Saler et poivrer.

Étaler uniformément sur une plaque à biscuits.

Cuire au four de 15 à 20 minutes.

Si les légumes sont encore croquants, ils continueront de cuire à la prochaine étape.

Couper chaque filet de poisson en deux sur l'épaisseur, sans aller jusqu'au bout.

Farcir de légumes et refermer.

Placer les filets farcis sur la plaque à biscuits et cuire 10 minutes ou jusqu'à ce que le poisson soit cuit.

Ingrédients

1 oignon, tranché

2 gousses d'ail, hachées grossièrement

4 tomates italiennes, coupées en quatre (ou une grosse poignée de tomates cerises)

1 grosse aubergine, coupée en tranches de 2 cm, puis coupées en quatre

1 poivron rouge, coupé en gros morceaux

1 grosse pomme de terre, coupée en bâtonnets

2 c. à soupe (30 ml) d'huile de canola

Sel et poivre du moulin

2 grands filets d'omble chevalier de l'Atlantique de 14 oz (400 g) chacun ou un poisson entier

Rôti de porc et pommes

6 portions

Le rôti de porc me rappelle mon enfance. Quand ma mère en faisait cuire, souvent les fins de semaine, l'odeur du plat mijoté embaumait toute la maison. Le rôti est l'un des plats les plus simples à cuisiner. En plus, il se réchauffe très bien ou se mange froid.

Préparation

Chauffer l'huile dans une casserole à fond épais et y faire dorer les rôtis de tous les côtés.

Retirer les rôtis.

Cuire les oignons et le bacon dans la cocotte de 3 à 4 minutes en remuant souvent.

Ajouter les pommes, les carottes et les pommes de terre.

Remettre les rôtis et ajouter le vin, le bouillon, les herbes salées et la compote de pommes.

Porter à ébullition.

Couvrir, réduire le feu et laisser mijoter 2 heures.

Ingrédients

2 petits rôtis de porc d'épaule de 1,5 lb (750 g) chacun

2 c. à soupe (30 ml) d'huile de canola

2 oignons, tranchés finement

5 tranches de bacon, coupées en morceaux

2 pommes avec la peau, coupées en gros morceaux

2 carottes, coupées en tronçons de 1-1 ½ po (3-4 cm)

4 pommes de terre pelées et lavées

1 tasse (250 ml) de vin

2 tasses (500 ml) de bouillon de poulet

1 c. à soupe (15 ml) d'herbes salées

1 tasse (250 ml) de compote de pommes maison

Sandwich au porc et pommes

4 sandwichs

À défaut de restes de rôti, vous pouvez bien sûr acheter du rôti de porc tranché au rayon de la charcuterie. Le résultat sera différent, mais tout de même délicieux. Essayez un nouveau fromage du Québec à pâte ferme, doux ou fort. J'aime le type emmental, qui se marie bien au goût du porc et de la pomme.

Préparation

Couper les pains en deux sur la longueur.

Tartiner généreusement chaque demi-pain de gelée de pommes.

Répartir le rôti de porc sur quatre demi-pains.

Garnir de fromage et de pomme, de carottes ou de chou.

Refermer le sandwich et déguster.

Ingrédients

4 pains à sandwich ou à panini

¼ tasse (60 ml) de gelée de pommes

2 tasses (500 ml) de porc tranché mince

3 ½ oz (100 g) de fromage tranché Terre Promise de Notre-Dame-de-Lourdes ou d'un autre fromage à pâte ferme

8 tranches de pommes fraîches ou 2 carottes râpées ou du chou rouge tranché finement

Rouleaux de courgettes

16 à 20 bouchées

Cette petite bouchée, simple mais élégante, demande un peu de temps de préparation. À la place du fromage déjà préparé, vous pouvez utiliser un fromage frais auquel vous aurez ajouté des herbes fraîches, du sel et du poivre du moulin. Votre patience sera bien récompensée.

Ingrédients

4 petites courgettes

½ tasse (125 ml) de fromage Agropur Délicrème ou d'un autre fromage frais à tartiner

Préparation

Laver les courgettes, couper les bouts, puis trancher sur la longueur pour obtenir de fins rubans, à l'aide d'une râpe à fromage, d'une mandoline, d'un économe, ou d'un couteau d'office.

Tartiner les rubans d'une fine couche de fromage, les enrouler sur eux-mêmes et les disposer debout, dans un plat allant au four préalablement beurré.

Le plat doit être rempli pour que les rouleaux soient serrés et ne se déroulent pas.

Cuire au four à 400 °F (200 °C) jusqu'à ce que les bords de courgette soient dorés.

Pizza aux pommes de terre, carottes et panais

4 portions

Cette pizza est franchement épatante ! Si vos enfants n'aiment pas trop le vinaigre et la moutarde, ne leur dites pas qu'elle en contient. Ils ne verront que le fromage.

Préparation

Placer les légumes bien à plat sur une plaque à biscuits avec les oignons et les arroser d'huile de canola.

Saler et poivrer généreusement.

Utiliser deux plaques si vous avez beaucoup de légumes.

Cuire au four à 450 °F (230 °C) 40 à 50 minutes en les retournant une fois pendant la cuisson.

Vous pouvez faire cette étape à l'avance et conserver les légumes dans un contenant hermétique.

Entretemps, badigeonner les pains de moutarde et badigeonner la ricotta sur les pains.

Lorsque les légumes sont cuits, les répartir sur les pains et couvrir de cheddar et d'herbes séchées.

Placer les pizzas sur les plaques à biscuits et cuire 10 à 12 minutes à 425 °F (220 °C).

Arroser les 4 pizzas d'un mince filet de vinaigre et servir.

Ingrédients

8 tasses (2 litres) de légumes racines coupés d'égale taille (carottes, panais, pommes de terre ou autres)

2 gros oignons, coupés en quartiers

Huile de canola

Sel et poivre du moulin

4 pains plats ou pains naan (pains indiens)

2 c. à soupe (30 ml) de moutarde préparée au Québec

1 ½ tasse (375 ml) de ricotta

2 tasses (500 ml) de cheddar doux râpé

1 c. à soupe (15 ml) d'herbes séchées de votre choix (thym, basilic)

2 c. à soupe (30 ml) de vinaigre de cidre

Maquereau en papillote

6 portions

Le maquereau est un poisson peu connu, mais absolument délicieux. On le trouve en épicerie, dans le rayon des surgelés, en provenance des îles de la Madeleine. Pour cette recette, j'utilise de la ciboulette et du persil frais. Ces deux herbes supportent bien les premières nuits fraîches d'automne, c'est pourquoi on les trouve longtemps sur les étals.

Préparation

Hacher les échalotes ou l'oignon, le persil et la ciboulette.

Mettre dans un petit bol avec l'huile.

Découper six feuilles d'aluminium et déposer 2 filets de maquereau sur chaque feuille d'aluminium, puis répartir le hachis d'herbes sur les filets.

Verser 15 ml (1 c. à soupe) de vinaigre de cidre dans chaque papillote.

Fermer hermétiquement et cuire à 375 °F (190 °C), 15 minutes si les filets sont décongelés ou 25 minutes si les filets sont surgelés.

Servir avec du couscous.

Le maquereau est le poisson le plus riche en acides gras oméga-3, dont les effets bénéfiques pour la santé ont été prouvés par plusieurs études. Dans chaque portion d'environ 3 oz (90 g), on retrouve près de 2 g d'oméga-3, autant, sinon plus, que le saumon de l'Atlantique. Il est pêché au Québec de mai à novembre, dans le golfe du Saint-Laurent, en Gaspésie et aux îles de la Madeleine. Son prix est très abordable et on le trouve dans toutes les grandes épiceries (www.maquereauduquebec.com).

Ingrédients

3 échalotes ou 1 oignon

1 petit bouquet de persil

2 c. à soupe (30 ml) de ciboulette

3 c. à soupe (45 ml) d'huile de canola

12 filets de maquereau

6 c. à soupe (90 ml) de vinaigre de cidre

Poulet rôti sur courge poivrée

6 portions

Voici un plat qui sent et goûte l'automne. J'adore préparer le poulet de cette manière.

Préparation

Retirer les graines de la courge puis la couper en longueur, en morceaux d'environ 1 po (2,5 cm) d'épaisseur.

Mélanger tous les légumes et l'huile.

Étaler dans le fond d'une rôtissoire ou d'un autre plat allant au four.

Saler et poivrer.

Cuire au four à 375 °F (190 °C) environ 15 minutes.

Placer les morceaux de poulet sur les légumes.

Saler et poivrer.

Saupoudrer de paprika et de thym.

Remettre au four et cuire environ 45 minutes ou jusqu'à ce que le poulet ait perdu sa teinte rosée.

Ingrédients

2 courges poivrées, lavées et coupées en deux

1 gros oignon espagnol, tranché

8 oz (227 g) de champignons de Paris, coupés en deux

6 gousses d'ail, émincées

1 c. à soupe (15 ml) d'huile de canola

Sel et poivre

6 cuisses de poulet

1 c. à soupe (15 ml) de paprika

1 c. à soupe (15 ml) de thym

Biscuits à l'avoine et aux pommes

30 biscuits

Souvent, le dimanche, je prépare une recette de muffins ou de biscuits qui se placent bien dans la boîte à lunch. Voici une recette classique au goût d'automne et qui convient à la règle « noix interdites ». On triche ici avec le chocolat, mais ça rend toujours les collations nourrissantes plus attrayantes…

Préparation

Préchauffer le four à 350 °F (180 °C).

Battre en crème le beurre et le sucre d'érable (ou la cassonade).

Ajouter les œufs et la vanille.

Ajouter la farine, le bicarbonate, la cannelle et le sel. Bien mélanger.

Incorporer l'avoine, les pommes et le chocolat à la cuillère de bois.

Tapisser une plaque à biscuits de papier parchemin et laisser tomber la pâte par grosses cuillérées.

Cuire environ 10 minutes ou jusqu'à ce que le dessus des biscuits soit légèrement doré.

Ingrédients

1 tasse (250 ml) de beurre ramolli

1 tasse (250 ml) de sucre d'érable ou de cassonade

2 œufs

1 c. à thé (5 ml) de vanille

1 ½ tasse (375 ml) de farine non blanchie

1 c. à thé (5 ml) de bicarbonate de sodium

1 c. à thé (5 ml) de cannelle

½ c. à thé (2 ml) de sel

3 tasses (750 ml) d'avoine à cuisson rapide ou traditionnelle

2 pommes, pelées et râpées

¾ tasse (180 ml) de pépites de chocolat mi-sucré

Biscuits avoine et canneberges

30 biscuits

Pour varier d'une semaine à l'autre, on modifie la recette ci-dessus et on fait un tout autre biscuit !

Remplacer les pommes et les pépites de chocolat par ¾ tasse (180 ml) de canneberges séchées et ¾ tasse (180 ml) de pépites d'érable.

Gâteau renversé aux pommes et aux canneberges

8 portions

Un gâteau à la fois simple et délicieux qui nous rappelle combien nous sommes chanceux d'avoir des pommes et du sirop d'érable au Québec !

Préparation

Dans une casserole, porter à ébullition 1 tasse (250 ml) de sirop d'érable et ½ tasse (125 ml) de beurre.

Laisser bouillir 5 minutes. Réserver.

Pendant ce temps, battre le reste du beurre, ⅔ tasse (160 ml) de sirop et l'œuf quelques minutes.

Préchauffer le four à 350 °F (180 °C).

Incorporer la farine, la levure, le sel, le lait et la vanille au mélange de beurre et mélanger au batteur électrique.

Verser le sirop chaud dans un moule carré de 8 po (20 cm) ou un moule à cheminée.

Répartir les canneberges sur le sirop, puis les tranches de pommes.

Verser ensuite la pâte sur les fruits.

Cuire au four environ 45 minutes.

Laisser refroidir une dizaine de minutes avant de renverser le gâteau dans une belle assiette de présentation.

Ingrédients

1 tasse (250 ml) de sirop d'érable

¾ tasse (180 ml) de beurre

⅔ tasse (160 ml) de sirop d'érable

1 œuf

1 ¾ tasse (430 ml) de farine

2 ½ c. à thé (12 ml) de levure chimique (poudre à pâte)

1 pincée de sel

½ tasse (125 ml) de lait

½ c. à thé (2 ml) de vanille

1 tasse (250 ml) de canneberges fraîches

2 tasses (500 ml) de pommes pelées et tranchées

Bouchées de saucisson et de canneberges

20 bouchées

Choisissez un saucisson que vous aimez. Certains saucissons sont vendus au supermarché, mais vous aurez encore plus de chances d'en trouver dans les charcuteries, les épiceries fines et les boutiques spécialisées.

Préparation

À l'aide d'un bon couteau, trancher le saucisson dans le sens de la longueur le plus finement possible.

Enfiler en alternant le saucisson et les canneberges sur les cure-dents.

Déguster.

Ingrédients

1 ou 2 saucissons selon la taille

½ tasse (125 ml) de canneberges séchées

Salade verte à la crème

4 portions

Rien de plus simple mais apparemment bien populaire dans les années 1950. Ma belle-mère mangeait cette salade tous les soirs d'été. Pourquoi se compliquer la vie ?

Préparation

Déchiqueter la laitue, enduire de crème, bien saler et poivrer.

Ingrédients

1 laitue de serre Boston

Crème 15 %

Sel et poivre

Amuse-gueules de pommes de terre

12 bouchées

La pomme de terre remplace très bien le pain ou le craquelin, ce qui en fait un hors-d'œuvre différent et très appétissant.

Préparation

Hacher la viande et râper le fromage.

Badigeonner les tranches de pommes de terre de beurre fondu des deux côtés et les placer sur une plaque à biscuits.

Saler et poivrer légèrement.

Cuire au four à 375 °F (190 °C) pendant 10 minutes.

Sortir du four et garnir de charcuterie et de fromage.

Remettre au four quelques minutes pour faire fondre le fromage. Servir chaud.

Ingrédients

3 tranches de jambon ou 6 tranches de bacon cuit ou du saucisson artisanal

½ tasse (125 ml) de cheddar doux

2 pommes de terre, pelées, lavées et tranchées à ¼ po (5 mm) d'épaisseur

1 c. à soupe (15 ml) de beurre fondu

Sel et poivre

Salade de carottes, endives et concombres

4 portions

La salade de carottes est bien connue mais je vous propose de râper la carotte autrement et d'ajouter d'autres légumes disponibles l'hiver : le concombre de serre et l'endive. Une salade colorée et très rafraîchissante.

Préparation

Peler la carotte en longs rubans à l'économe et procéder de la même manière pour les concombres.

Trancher les endives.

Mélanger tous les légumes dans un bol à salade.

Mélanger la mayonnaise, le yogourt et les herbes salées.

Verser sur les légumes, poivrer et servir.

Ingrédients

2 carottes, pelées

4 petits concombres de serre de style libanais, non pelé

1 ou 2 endives

1 c. à soupe (15 ml) de mayonnaise

1 c. à soupe (15 ml) de yogourt nature

½ c. à thé (2 ml) d'herbes salées du Bas-du-Fleuve

Poivre du moulin

Osso buco au cidre liquoreux

4 portions

Un plat à préparer la fin de semaine, mais il en vaut la peine. Par contre, comme la lasagne, c'est presque meilleur le lendemain, alors on le prépare le dimanche et on mange comme des rois le lundi soir !

Préparation

Fariner les morceaux de viande.

Dans une grande poêle avec couvercle, les faire dorer des deux côtés dans l'huile et le beurre à feu moyen-élevé.

Retirer et réserver.

Ajouter les carottes et les oignons, saler et poivrer et cuire jusqu'à ce que les oignons soient translucides.

Ajouter l'ail et cuire 30 secondes.

Remettre les jarrets dans la poêle, ajouter le cidre et porter à ébullition.

Couvrir et réduire le feu. Laisser mijoter 1 ½ à 2 heures.

Servir avec du riz ou des pâtes aux œufs.

Oui, il y a le vin, mais n'oubliez surtout pas les cidres ! Plusieurs types de cidre sont disponibles à la SAQ : des cidres secs, des cidres doux, des cidres liquoreux et des cidres de glace. Que de plaisir pour les papilles !

Ingrédients

4 à 8 jarrets de veau (selon la taille)

¼ tasse (60 ml) de farine assaisonnée de sel, poivre et herbe de Provence au goût

1 c. à soupe (15 ml) d'huile de canola

2 c. à soupe (30 ml) de beurre

4 grosses carottes (3 tasses [750 ml]) coupées en tranches épaisses

1 gros oignon (2 tasses [500 ml]) haché

Sel et poivre

2 gousses d'ail, hachées

1 ½ tasse (375 ml) de cidre liquoreux ou de cidre de glace

Pâtes au poulet et au fromage frais

4 à 6 portions

Un plat de semaine lorsqu'on a un reste de poulet cuit. Très simple et surtout succulent !

Préparation

Faire cuire les pâtes selon les indications du fabricant dans une casserole d'eau bouillante salée.

Ajouter les petits pois 3 minutes avant la fin de la cuisson des pâtes. Égoutter et réserver ½ tasse (125 ml) d'eau de cuisson.

Dans une poêle, chauffer le beurre et faire revenir l'oignon quelques minutes jusqu'à ce qu'il soit translucide.

Ajouter les champignons et cuire jusqu'à ce que l'eau de végétation des champignons se soit évaporée.

Ajouter le fromage frais, le poulet, le zeste et le fromage en grains et brasser pour réchauffer le tout.

Saler et poivrer.

Verser la préparation sur les pâtes réservées ainsi que l'eau de cuisson. Mélanger et servir.

Ingrédients

1 lb (500 g) de pennes ou d'autres pâtes courtes

1 ½ tasse (375 ml) de petits pois surgelés Artic Garden

2 c. à soupe (30 ml) de beurre

1 petit oignon, émincé

4 champignons porto bello, tranchés

½ tasse (125 ml) de fromage frais

2 tasses (500 ml) de poulet cuit, en cubes

1 tasse (250 ml) de fromage en grains haché

Zeste d'un citron

Sel et poivre

Escalopes de veau parmigiana à la québécoise

4 portions

Mon père ne trouvait pas de bonnes escalopes parmigiana dans les restaurants. Il a élaboré cette recette qui a été testée plus d'une centaine de fois, avec des convives de tout horizon. Chaque fois, le même constat : on s'en lèche les doigts et on en redemande. On prépare d'abord la sauce une à deux journées à l'avance si on le désire. Elle se conserve très bien au réfrigérateur dans un contenant hermétique. Vous pouvez aussi en préparer le double et en congeler la moitié pour servir un autre repas de pâtes à la sauce tomate.

Préparation (sauce tomate de base)
Faire revenir les gousses d'ail et l'oignon dans l'huile jusqu'à ce qu'ils soient translucides.

Ajouter les tomates, les herbes salées et le poivre.

Mijoter 10 minutes. Ajouter la sauce tomate et le thym. Mélanger doucement et laisser mijoter à découvert environ 30 minutes, le temps que la sauce épaississe.

Préparation (escalopes)
Pendant que la sauce épaissit, aplatir et attendrir les escalopes une à la fois entre deux feuilles de pellicule d'emballage alimentaire au marteau de cuisine. En les manipulant avec soin, tremper dans l'œuf et ensuite dans la chapelure.

Chauffer l'huile dans une poêle. Faire dorer les escalopes une minute par côté et les placer dans une lèchefrite. Couvrir les escalopes d'une bonne couche de sauce, puis recouvrir de la mozzarella.

Saupoudrer de cheddar. On peut cuisiner les escalopes à l'avance et les réfrigérer.

Cuire au four à 350 °F (180 °C) environ 20 minutes.

Servir avec des fettucines et des légumes surgelés cuits à la vapeur.

Sauce tomate de base

2 c. à soupe (30 ml) d'huile de canola

3 gousses d'ail, finement hachées

1 oignon, haché

1 boîte (28 oz [798 ml]) de tomates en dés

½ c. à thé (2 ml) d'herbes salées

Poivre

1 boîte (14 oz [400 ml]) de sauce tomate

½ c. à thé (2 ml) de thym séché

Escalopes

4 escalopes de veau

1 œuf, légèrement battu

½ tasse (125 ml) de chapelure

1 c. à soupe (15 ml) d'huile de canola

1 tasse (250 ml) de mozzarella L'Ancêtre coupée en tranches minces

½ tasse (125 ml) ou plus de cheddar vieilli 5 ans râpé

Strata de poisson

6 portions

Tout le monde possède une recette provenant de la belle-mère, voici la mienne. C'est d'une simplicité exquise, mais pour gagner du temps, il vaut mieux la préparer la veille.

Préparation

Dans un bol, mélanger délicatement le pain, les deux poissons et le fromage.

Étaler uniformément au fond d'un moule rectangulaire (9 x 12 po, [22 x 30 cm] ou 3 litres) beurré.

Dans un autre bol, battre le lait, la crème sure et les œufs à la main pendant 1 minute.

Ajouter l'oignon, les boutons de marguerites, le basilic et le poivre.

Verser sur le mélange de poissons.

Couvrir et réfrigérer pendant 8 heures ou jusqu'au lendemain.

Sortir du réfrigérateur et laisser reposer sur le comptoir 30 minutes.

Cuire au centre du four à 350 °F (180 °C) pendant 45 minutes ou jusqu'à ce que les œufs soient cuits.

Servir avec une salade de carottes endives et concombres (voir recette à la page 72).

Les boutons de marguerites et les gousses d'asclépiades sont des produits fins, sauvages qui ressemblent à des câpres sauf qu'ils proviennent d'ici. Vous les trouverez dans des boutiques et épiceries spécialisées ou dans les marchés publics. On les utilise, tout comme les câpres, avec la truite fumée ou dans les pâtes.

Ingrédients

2 tasses (500 ml) de baguette de la veille en gros cubes

7 oz (210 g) de truite d'aquaculture cuite, effilochée

2 ½ oz (75 g) truite fumée, en petits morceaux

7 oz (210 g) ou un peu moins de fromage Sir Laurier d'Arthabaska, en dés

1 ½ tasse (375 ml) de lait

1 tasse (250 ml) de crème sure

6 œufs

2 c. à soupe (30 ml) d'oignons rouges hachés

1 c. à soupe (15 ml) de boutons de marguerites ou de capucines ou deux gousses d'asclépiades, hachées (facultatif)

1 c. à soupe (15 ml) de basilic séché

Poivre

Truite à la Blanche de Boréale

6 portions

La bière québécoise Boréale est une valeur sûre, celle que je garde toujours au réfrigérateur. Elle convient bien à la cuisson du poisson, à qui elle donne un goût fin et une texture fondante.

Préparation

Beurrer un plat de cuisson et étendre les oignons au fond. Ranger les filets sur les oignons.

Verser la bière, saler et poivrer.

Couvrir le plat d'un papier d'aluminium et cuire au four à 350 °F (180 °C) environ 10 minutes ou jusqu'à ce que la chair du poisson ait perdu sa teinte rose foncé.

Ingrédients

1 c. à soupe (15 ml) de beurre

3 c. à soupe (45 ml) d'oignons rouges hachés finement

6 filets de truite arc-en-ciel de 5 à 7 oz (150 à 210 g) chacun

1 ½ tasse (375 ml) de Blanche de Boréale ou d'une autre bière blanche

Sel et poivre

Légumes grillés au four

4 grosses portions

De loin la méthode de cuisson que je préfère. Elle est facile et en plus, les légumes conservent toute leur saveur.

Préparation

Fouetter l'huile, le sirop et les herbes. Couper tous les légumes de la même taille. Plus ils seront petits, moins ils cuiront longtemps. Badigeonner les légumes de la vinaigrette et les étaler en une seule couche sur une plaque à biscuits tapissée de papier parchemin. Saler et poivrer.

Cuire au four à 375 °F (190 °C) entre 20 et 40 minutes en les retournant à mi-cuisson (le temps de cuisson varie selon la taille des morceaux de légumes).

Ingrédients

¼ tasse (60 ml) d'huile de canola

¼ tasse (60 ml) de sirop d'érable

1 c. à thé (5 ml) d'herbes de Provence*

4 tasses (1 litre) de légumes racines (panais, rutabaga, rabiole, pomme de terre ou autres)

2 tasses (500 ml) de courge**

Sel et poivre

* J'aime bien les herbes de Provence des Épices de Marie Michèle. (www.lesepices.ca)
** La courge musquée est, selon moi, la meilleure et on la trouve facilement dans toutes les épiceries.

Soupe-repas bacon et poulet

4 à 6 portions

Quoi de mieux qu'une bonne soupe consistante au retour d'une activité hivernale ou un dimanche midi où le froid nous a plutôt donné le goût de rester à la maison. Voici une recette bien réconfortante et surtout assez rapide à faire. Vous pourrez ainsi la déguster en 40 minutes ou la réchauffer un soir de semaine et même apporter les restes en lunch.

Préparation

Faire dorer le bacon, l'oignon, le poireau, les carottes et le céleri dans une casserole pendant 10 minutes environ à feu moyen.

Ajouter le reste des ingrédients sauf les haricots et le poulet.

Porter à ébullition puis réduire le feu.

Couvrir et laisser mijoter 20 minutes.

Ajouter le poulet et les haricots et poursuivre la cuisson 5 minutes.

Si vous avez plus de temps, vous pouvez laisser mijoter la soupe plus longtemps, elle prendra encore plus de goût.

Servir avec une focaccia ou un pain grillé.

Ingrédients

4 tranches de bacon, coupées en cubes

1 oignon, haché finement

1 blanc de poireau, haché finement

2 carottes, finement émincées

2 branches de céleri, finement émincées

4 tasses (1 litre) de bouillon de poulet

1 boîte (14 oz [400 ml]) de tomates en cubes

1 c. à thé (5 ml) d'herbes de Provence

1 boîte (18 oz [540 ml]) de haricots mélangés, égouttés et bien rincés

1 tasse (250 ml) de poulet cuit en cubes ou d'une autre viande (jambon, saucisse)

Soupe-repas aux fruits de mer

4 à 6 portions

Une soupe très rapide à faire, idéale pour un soir de semaine.

Préparation

Dans une casserole, placer les 7 premiers ingrédients.

Porter à ébullition, couvrir et laisser mijoter environ 15 minutes ou jusqu'à ce que les pommes de terre soient cuites.

Ajouter les morceaux de truite, couvrir et cuire environ 5 minutes, le temps que le poisson perde sa teinte foncée.

Ajouter les crevettes. Ces petites crevettes cuisent rapidement, même si elles sont surgelées; les laisser quelques minutes, juste le temps de les réchauffer si elles sont déjà cuites.

À l'aide d'un écumoire, retirer le poisson. Réserver dans un bol.

Juste avant de servir, mélanger ½ tasse (125 ml) du bouillon avec le miso. Ajouter à la soupe, puis ajouter l'aneth, goûter et assaisonner au goût.

Remettre le poisson dans la soupe.

Servir avec un pain à la fleur d'ail (voir recette à la page 14).

Le miso est un aliment japonais traditionnel qui se présente sous forme de pâte fermentée, à haute teneur en protéines, de goût très prononcé et très salé qu'on utilise comme assaisonnement ou base dans les soupes. Il remplace le sel de table, la moutarde, le jus de viande et le concentré de tomates.

Je vous propose le miso Massawippi. Vous retrouverez tous les points de vente pour celui-ci sur le site Internet www.alimentsmassawippi.com

Ingrédients

2 panais, pelés et coupés en gros morceaux

2 carottes, pelées et coupées en gros morceaux

4 petites pommes de terre, coupées en morceaux égaux

1 poireau, tranché

1 oignon, haché

4 tasses (1 litre) d'eau

½ tasse (125 ml) de vin blanc

1 lb (500 g) de filet de truite arc-en-ciel, coupé en gros morceaux

½ lb (250 g) de crevettes nordiques cuites ou crues

2 à 3 c. à thé (10 à 15 ml) de miso Massawippi

1 c. à thé (5 ml) d'aneth séché

1 c. à thé (5 ml) de sel

Poivre du moulin

Pain de viande au fromage en grains

2 pains de viande

J'ai testé plusieurs recettes de pains de viande et je reviens toujours à la même. Les enfants l'adorent. Oui, j'utilise du ketchup aux tomates (qui n'est pas du tout québécois), mais il est possible de réduire une petite quantité de ketchup aux fruits au mélangeur et de remplacer le ketchup américain. Un plat qui se congèle très bien.

Préparation

Dans un petit bol, mélanger la chapelure et le lait.

Dans un autre bol, mélanger tous les autres ingrédients du pain de viande.

Ajouter le premier mélange. Bien mélanger.

Répartir le mélange dans deux moules à pain.

Mélanger les ingrédients de la sauce et verser uniformément sur les pains.

Cuire au four à 350 °F (180 °C) pendant 1 heure.

Servir avec une purée de pommes de terre, carottes et navet.

Le veau du Québec est bien identifié. Il s'agit de veau de lait ou de grain provenant d'un des 450 éleveurs du Québec. Pour plus de renseignements, visitez le www.veaudelait.com ou www.veaudegrain.com.

Pain de viande

1 ⅓ tasse (330 ml) de chapelure

2 tasses (500 ml) de lait

3 lb (1,5 kg) de veau haché (vous pouvez aussi faire moitié-moitié avec du porc haché)

4 œufs, bien battus

1 oignon, haché

1 tasse (250 ml) de fromage en grains

2 c. à thé (10 ml) d'herbes salées du Bas-du-Fleuve

Poivre du moulin

1 c. à thé (5 ml) de marjolaine, de sarriette ou de sauge

Sauce

6 c. à soupe (90 ml) de sucre d'érable

½ tasse (125 ml) de ketchup

½ c. à thé (2 ml) de muscade

2 c. à thé (10 ml) de moutarde en poudre

Rouleaux au caramel à l'érable

12 rouleaux

Cette recette n'est pas du tout « santé », mais c'est un des desserts favoris de la famille : mon père, mes frères, mes enfants. Il faut bien se faire plaisir de temps en temps, non ?

Préparation

Mélanger le beurre et le sucre. Réserver.

Tamiser la farine, la levure et le sel.

Ajouter le beurre froid.

Couper le beurre au coupe-pâte ou avec deux couteaux jusqu'à l'obtention d'une consistance granuleuse.

Creuser le centre et verser graduellement le lait en brassant à la fourchette. Il est possible d'ajouter 1 ou 2 c. à soupe (15 ou 30 ml) de lait si la farine n'est pas toute intégrée.

Rouler la pâte en un grand rectangle de 10 po x 14 po (25 cm x 35 cm).

Étendre la préparation de sucre d'érable sur toute la surface de la pâte.

Rouler la pâte en commençant par le plus petit côté.

Couper le rouleau en 12 morceaux avec un couteau à pain.

Placer chacun des morceaux dans des moules à muffins.

Cuire au four à 425 °F (220 °C) 15 minutes environ.

Renverser sur une grille. Laisser refroidir.

Ingrédients

½ tasse (125 ml) de beurre ramolli

1 tasse (250 ml) de sucre d'érable

2 tasses (500 ml) de farine non blanchie (ou moitié-moitié farine de blé)

1 c. à soupe (15 ml) de levure chimique (poudre à pâte)

½ c. à thé (2 ml) de sel

¼ tasse (60 ml) de beurre froid

¾ tasse (180 ml) de lait

Calendrier de disponibilité

Calendrier des principales espèces aquatiques québécoises pêchées, élevées ici, et vendues fraîches.

	Janvier	Février	Mars	Avril	Mai	Juin	Juillet	Août	Septembre	Octobre	Novembre	Décembre
Anguille				X	X	X	X	X	X	X	X	
Barbotte brune				X	X	X	X	X	X	X	X	
Bigorneau				X	X	X	X	X	X	X		
Buccin				X	X	X	X	X	X	X		
Capelan			X	X	X	X	X	X	X	X	X	X
Couteau			X	X	X	X	X	X	X	X	X	X
Crabe commun						X	X	X	X			
Crabe des neiges			X	X	X	X	X					
Crevette nordique				X	X	X	X	X	X	X	X	X
Éperlan				X	X	X	X	X	X	X	X	
Esturgeon jaune						X	X	X	X	X		
Esturgeon noir						X	X	X	X	X		
Flétan de l'Atlantique				X	X	X	X	X	X	X		
Flétan du Groenland ou flétan noir				X	X	X	X	X	X	X		
Hareng				X	X	X	X	X	X	X		
Homard d'Amérique				X	X	X	X	X	X	X	X	
Mactre de l'Atlantique				X	X	X		X	X	X	X	X
Mactre de Stimpson				X	X	X	X	X	X	X	X	X

	Janvier	Février	Mars	Avril	Mai	Juin	Juillet	Août	Septembre	Octobre	Novembre	Décembre
Maquereau						■	■	■	■	■	■	
Morue				■	■	■	■	■	■	■		
Moule bleue			■	■	■	■	■	■	■	■		
Mye				■	■	■	■	■	■	■	■	■
Limande à queue jaune				■	■	■	■	■	■	■	■	■
Lompe					■	■	■					
Omble chevalier	■	■	■	■	■	■	■	■	■	■	■	■
Omble de fontaine	■	■	■	■	■	■	■	■	■	■	■	■
Oursin vert	■	■	■	■	■	■	■	■	■	■	■	■
Perchaude				■	■	■	■	■	■	■	■	■
Pétoncle d'Islande				■	■	■	■	■	■	■	■	■
Pétoncle géant				■	■	■	■	■	■	■	■	■
Plie canadienne						■	■	■	■	■	■	■
Plie grise					■	■	■	■	■	■	■	■
Plie rouge				■	■	■	■	■	■	■	■	■
Poulamon				■	■	■	■	■	■	■	■	■
Sébaste atlantique						■	■	■	■	■	■	■
Truite arc-en-ciel	■	■	■	■	■	■	■	■	■	■	■	■

Source : Ministère de l'Agriculture, des Pêcheries et de l'Alimentation du Québec (MAPAQ) (www.mapaq.gouv.qc.ca)

Calendrier de la disponibilité des fruits et légumes du Québec

	Janvier	Février	Mars	Avril	Mai	Juin	Juillet	Août	Septembre	Octobre	Novembre	Décembre
Ail								●	●	●	●	
Artichaut								●	●			
Asperge					●	●						
Aubergine								●	●	●		
Bette à carde						●	●	●	●	●		
Betterave	●	●	●			●	●	●	●	●	●	●
Bleuet							●	●				
Brocoli							●	●	●	●	●	
Canneberge	●	●	●	●	●				●	●	●	●
Cantaloup								●	●			
Carotte	●	●	●	●				●	●	●	●	●
Céleri								●	●	●		
Céleri-rave	●	●						●	●	●		●
Cerise de terre								●	●			
Champignon	●	●	●	●	●	●	●	●	●	●	●	●
Chicorée						●	●	●	●	●	●	
Chou chinois et nappa							●	●	●	●		
Chou de Bruxelles								●	●	●	●	
Chou-fleur							●	●	●	●		
Chou vert	●	●	●	●	●	●	●	●	●	●	●	●
Chou rouge	●	●	●	●	●	●	●	●	●	●	●	●
Citrouille									●	●		
Concombre de champ						●	●	●	●			
Concombre de serre				●	●	●	●	●	●	●		
Cornichon frais							●	●				
Courge								●	●	●	●	
Courgette (zucchini)							●	●	●			
Échalote française	●	●										●
Endive	●	●	●									
Épinard					●	●	●	●	●	●	●	
Fines herbes				●	●	●	●	●	●	●	●	
Fraise					●	●	●	●	●	●		

	Janvier	Février	Mars	Avril	Mai	Juin	Juillet	Août	Septembre	Octobre	Novembre	Décembre
Framboise								■	■	■		
Gourgane							■	■				
Haricots jaunes et verts							■	■	■	■		
Laitue Boston						■	■	■	■	■		
Laitue Boston hydroponique	■	■	■	■	■	■	■	■	■	■	■	■
Laitue en feuilles					■							
Laitue en feuilles de serre	■	■	■	■	■	■	■	■	■	■	■	■
Laitue pommée						■	■	■	■	■		
Laitue romaine						■	■	■	■	■		
Maïs sucré								■	■			
Melon d'eau								■	■			
Navet (rabiole)	■	■										
Oignon espagnol									■	■	■	■
Oignon jaune	■	■	■	■	■	■	■	■	■	■	■	■
Oignon vert						■	■	■	■	■		
Panais	■	■	■	■	■			■	■	■	■	■
Persil frisé						■	■	■	■	■		
Piment fort							■	■	■	■		
Poireau	■	■						■	■	■	■	■
Pois mange-tout							■	■	■	■		
Poivron								■	■	■		
Pomme	■	■	■	■	■	■	■	■	■	■	■	■
Pomme de terre	■	■	■	■	■	■	■	■	■	■	■	■
Radicchio (trévisé)							■	■	■	■		
Radis					■	■	■	■	■	■		
Radis en feuilles					■	■						
Rhubarbe				■	■	■						
Rutabaga (chou de Siam)	■	■	■	■	■	■	■	■	■	■	■	■
Scarole						■	■	■	■	■		
Tomate de champ								■	■	■		

Source : Association des jardiniers maraîchers du Québec (www.ajmquebec.com)

Bon appétit ....